## 노벨 문학상


CarsBerg....
2 Can
칼스버그 두 캔에
나는 망각을
선물 받았다.

## Carsberg 세 캔의 구원

내게 이런 구원이 있다니
칼스버그 세 캔
칼스버그
내게 허락된 알코올
내게 허락된 구원
내게 허락된 망각
내게 허락된 자유

## 사업의 기술

자청의 공략집 이론
내겐 반가운 새로운 지혜
따뜻한 사람
홍익인간의 사상
하여간에 좋은 사람들

그들을 위해
그들과 함께 함을 즐기기 위해
나는 시를 쓰고
책을 읽고
사업을 해야겠다

## 생명(가제)

내게 허락된 자유
23평
23년된 아파트
좁디좁은 거실과
둘 곳 없는 짐들
그 안에서
생명을 꽃피우는 나

# 우범지대와 자유지대

폭력과 살인과 광기가
난무하는 곳

사기와 횡포와 부패와
어둠이 깔린 곳

빛의 기둥이 내려와

평화와 기쁨과 안식이
가득한 곳

사랑과 성장과 돌봄이
만연한 곳에
데려갔다

## 정글 속의 난초

한 송이의 난이 있다

가느다란 잎사귀
여리디 여린 자줏빛 꽃잎

물방울을 머금고
살포시 웃음짓는
강 위의 우아한 백조같은
포즈로

정글에 피어 있다

## 코로나


이 땅에 조용한 어둠이 깔린 후
사람들은 죽음에 대한 두려움에
바이러스를 미워하며
삶에 대한 애착을 간직하며
숨죽이며
피하듯이 이웃과 살고 있다

그러나

조용히 피하던 기억은
이때 뿐이던가
어느 순간
어느 불리한 상황에
가만히 스쳐지도록

종종걸음을 폈던 것은
이 때 뿐이던가

## 시를 쓴다는 것

질척거리지도
흐물거리지도
과장하지도 않는 언어로

삶을 노래한다는 것

내 안에 숨겨진 삶의 속삭임을
아로새기는 것

## 아버지

육체라는
껍데기 안의 나
신의 형상인 내가 있었다

죄가 나를 찌르고
육체의 가시가
나를 할퀼 때마다

내 영혼은 우범지대를
헤맨다

돌아가야 돼
나의 낙원으로
내가 있는 곳

나의 고향 그곳으로
돌아가야 돼
내 속에서 나는
계속 튀어 나오려고
육체를 찌르고 거슬러
밝은 빛으로 연결되기를
얼마나 바랬던가

아버지
내 빛의 아버지
내가 여기 있는데
아버지
나를 바라봐 주세요

## 태진이 성


내 살을 빼주고
내 뇌를 키워주고
내 돈을 불려주고
내 맘을 알아주는(내 생을 빛내
주는)
태진이 성

고마워

# 학부모 동아리 모임

의미없는 약속
의미없는 만남
의미없는 얘기
의미없는 사람
의미없는 관심
의미없는 기대
의미없는 도전
의미없는 소망

## 안영순 베이커리

빛나는 불빛
황금의 성
유혹하는 불빛
영화로운 실루엣
그 안에 빵맛
이성당과 라이벌
군산의 명소

# 똥 아 리

작은 눈
귀여운 코
예쁜 볼
잘 깎인 머리
잘 생긴 입
호리한 키
멋진 아들

# 런던 보이즈

발랄한 춤
탄력있는 몸
유연한 몸놀림
사랑하는 음악
젊디젊은 애기 아빠
짧은 생
남아있는 영상
기리는 팬

## 2차 대유행(코로나)


우리가 두려워한 것은 무엇인가
코로나인가
죽음인가
사회적 차단인가
소외인가
궁핍인가
생의 의미없음인가


주님은 왜 다시 코로나를 허락하
셨나 이 땅에
원하시는 것은 무엇일까


김장김치를 담그고
시를 써 가며

몸을 추스르고
만남을 기다리는 나는

무엇을 위해 사는가
무엇 때문에

## 되고

삶이 시가 되고
시가 삶이 되고
해가 빛이 되고
빛이 해가 되고

나는 내가 되고
너는 내가 되고

## 시 쓰고(시인)

시 쓰고
노벨문학상
상금 10억
집사고
차사고
빚 갚고
여행가고
책사고
책보고
시 쓰고

## 오전 중의 샤워

비누칠한 타올
펌핑한 샴푸
거품가득 밀고 씻어내면
어느새 개운한 몸
상쾌해진 마음
밝아보이는 방안
뭐든 할 수 있는 자신감

## 대화를 원해


울아들 똥아리
학교에 가지 않아
기분이 좋은지


쫑알쫑알
쫑알쫑알


계속 이야기하고


엄마 다른 얘기 없어?
또 얘기 해 줘
그래 기분이 좋구나
학교 안가서

# 코로나19

어떤이에게는
삶의 절망

어떤이에게는
삶의 단절

어떤이에게는
은근한 기쁨

어떤이에게는
더할 수 없는 악몽

어떤이에게는
소름끼치는 기억

어떤이에게는
꺼내보는 추억

어떤이에게는
폭풍의 성장

어떤이에게는
감사한 기억

## 구원파

그것은 그들의 이름

무지하고
몽매한
복음의 이단아(기독교의 양아치)

세상의 빛
거꾸로 가는 종교무리

바보같은 헌신
보상없는 복종

평균보다 못한
지옥에 저당잡힌

예수를 닮지 않은
자칭 신의 자녀들
(구원파만 그러할까)

## 물로 씻음


씻기 전과
씻은 후

둘 사이의 간극

쓰레기 같은 몸
향수 같은 샤워

## 용식이

커피 한잔

재활용 쓰레기 위에
비교적 예쁘게
살포시 엎어진

믹스커피 한잔

# 내 안의 우주

내 밖의 세상
내 안의 우주
둘 사이의 교점
세상의 빛
세상의 소금
기쁜 소식
천국과 지옥

## 내 안의 World

새로운 세상
창조되는 세계
자유로운 생각

## Channel A

트럼프 아웃
수도권 거리두기
테이크 아웃
코로나 창궐

ㅇㅈㅅ  작가


예쁜 아내 벌어 먹이기 위해
오늘도 구걸
구걸구걸구걸

직업이 작가에서
거지로 바뀌었나

## 이너 스페이스

코페르니의 발견보다
더 큰

이너 스페이스의 발견

우주의 발견보다 더한

나의 Spirit
이너 스페이스

그 안에 잠잠히 있다

## 코로나 음성


아.... 십년 감수


하룻사이에
집채만한 근심덩어리 가득
웃음이 사라진
고요한 적막만이 흐르는
검은 그림자


다음날 음성판정


넘치는 감사
흐르는 기쁨
축제 분위기

# 집 콕

코로나 의심자 접촉자와 접촉
졸지에 집콕

내 의지로 하는 것과
타의로 하는 것은
이렇게 다르구나

분리와 감금

스스로 하면 분리
타의로 하면 감금

## 종교와 신앙


한 동네에
여기저기
중첩되어 세워진 십자가

어디로 가야되나
이교회저교회
드나들면서

갈만한 교회를 찾는 건
내가 예수의 제자여서인가
몸에 밴 종교생활 때문인가

일요일 이 날
긴장하며

하나님께 죄송한
하루를
기어이 보낸다

## 시와 맥주

내 시의 영감은(영감의 출처는)
이편한 앞
맥주집 생맥주

소소노가리와
맥주안주
간장에 절인 마요네즈
약간의 객기

이 영감이 흐르면
나는 또 끝이 다다르겠지

죽음의 끝

## 시인

나는 시인이었나
날때부터

나는 시를 써왔나
날때부터

나는 세상을 읽었나
날때부터

나는 세상을 써왔나
날때부터

나는 내 영혼과 함께였나
날 때부터

## 영혼의 속도


내 걸음의 속도
나의 가는 길

내 생각의 속도
내 마음의 속도

내 길의 속도

## 고마워

내게 시를 알려줘서
나의 가치를 알아줘서
나의 시를 읽어줘서
나의 몸짓을 읽어줘서
나의 손짓을 봐주어서
나의 맘짓을 봐주어서
나와 함께 해줘서

## 생맥 받아 와


오늘도 생맥
(안주는)노가리 말고
소소노가리

주변 체면 신경쓰지 말고
원래 하던대로
무대포 이미지로

술 받아와

## 터진다

작품 터진다
하나 둘
만이 아니고
여럿

내 속에 이렇게
시가 많았나

내 속에 가득한 것이
그냥 흘러나온다

시다

## 노벨


네게 10억을 줄 사나이
내게 빚을 갚고
집을 사고
차를 사고
해외 여행을 가게 해 줄

멋진 사나이

## 시와 나

나는 시를 쓰고
시는 나를 쓰고

시와 함께
나와 함께

단정한 언어로
간결한 글씨로

나를 그린다
시로

## 나는 천재 시인인가


그렇다

단지

시를 쓸 뿐

## 시인의 하루


머리를 감고
밥을 하고
바닥을 닦고

커피를 마시고
카페 들어가고
책을 읽고

책(시)을 쓴다

## 소소 노가리

작은 그 몸에
불에 탄   흔적을 간직하고
뭉쳐져 있는
생맥 안주

맛있다

_이편한 맥주집
헌정시

## 언어의 마술사

간결한 언어
압축된 이미지
정돈된 영혼
머금은 진리

# 시

예술가의
영혼과
만나는 것

그 영혼의 속삭임을
경청하는 것

## 다작

다상량
다독

다생

## 하얀색 책장

결혼 10년만에
방정리하려 들여온
하얀색 책장

한칸에는 바구니
한칸에는 화장품
한칸에는 잡동사니
다른 두칸에는 책들

채워지며 정리되어가는
하얀색 책장
책장 안에서
쉴 곳을 찾은
물건들

# Without You

머라이어 캐리
쭉뻗은 늘씬한 몸매
매력적인 보이스
.
.
.
.
.
.
그대없이 살고 있소.

# 2060 방탄

그 시절에는
휴대폰이 있었구나

그 시절에는
유튜브가 있었구나

그 시절에는
생맥주가 있었구나

그 시절에는
휘발유차가 있었구나

그 시절에는
학교가 있었구나

그 시절에는
방탄이 있었구나

## Careless Whisper

반백의 수염
여전히 매력적인 목소리
그 많은 관중 앞에서
떨지않는 중후함

그에게서 젊음은 떠나 갔으나
아직도 남아 있는 변하지 않은
목소리
그를 다시 사랑하기 위해
지금 나는 뭐가 필요할까

가버린 스타
그곳엔 팬들이 기다리고 있을까
…

그런데 이상하다
내 옆에 그가 있는 것 같다

## 웨인 다이어

삶이 시가 되고

시가 삶이 된다

지나가는 모든 몸짓의 의미를
시로 잡아둔다

## 족발

등분되어 쪼개진
족발의 살점

하나하나 내 입에
들어와

나의 살이
되어 간다

향긋한 겨자의
식감

## 너무 많은 이야기


너무 많은 이야기
너무 많은 솔루션
너무 많은 책들
너무 많은 행복

## 책


리얼리티 트랜서핑
잠재의식의 힘
정리하는 뇌
부의 추월차선 완결판

읽지 않은 책
내게 속한 진리들
내가 파야 할 보화들

아직 거기 있다

## 내게 가져다 주는 것


내게 지옥을 가져다 주는
이는 누구인가

자아실현을 하지 못한
질투로 마음이 비뚤어진
사랑받지 못한

저급 천사들...




<방문> 시와 연계함

**그래 사람은....**


그래 사람은
영적인 존재라
말과 정신만 잘 사용하면
성공할 수 있어

그래 사람은
하나님의 형상이라
하늘 끝까지
자랄 수 있어

## 마음을 지켜

돈보다도
명예보다도
사랑보다도
세상 그 어떤 것보다도

네 마음을
지켜

## 남원 예촌

예비된 호실
예비된 조식

누리는 호사
편안한 침실

내게 예비된
모든 좋은 것들

그 안에서
누려
누리면 돼

## 남원 스위트 호텔


넓은 욕실
집같은 방


편안한 이불
달콤한 수면


정렬된 옷장
넘치는 공간


푹 쉬는 나

## 이 세상(최면 중 천사 메시지)

이 세상은
원래
없는 곳

허상
무
지나가는 실체

그저 재밌게
놀이처럼 가볍게
심각하지 않게

살면 돼

## 인생은 축복

창조주의 사랑으로 가득찬
축제의 향연

누리고 즐기고 맛보는
천국의 잔치

누구나 알 수 있는
창조주의 초대

그에 응하다

# 난민

난민
포로
도망
투쟁
담판
휴전
방비
자유

## 풀림과 놓임 사이

그저 놓여 있다

외부의 팬듈럼에
미친 듯이 춤추는
공기 인형처럼

풀림
이것은 자유이다
누구도 상상하지 못한
자유

ㅇㅈㅅ작가


보통의 뇌로
평범한 사고방식으로
이성적이고 평범한
패턴으로
살아내느라 애썼다

그저
보통의 뇌

# 집 정 리

소파를 옮기고
식탁을 자리잡고
부엌을 정돈하고
쓰레기를 버리고
책을 주문하고

하루를 정리한다

**(지금도 가고싶은)이편한 호프집**

9시 이후
생맥
정리해 마친 장사
귀찮은 손님
은혜의
호프

## 마담의 시집

**발  행** | 2023년 12월 1일
**저  자** | 장희선
**펴낸이** | 한건희
**펴낸곳** | 주식회사 부크크
**출판사등록** | 2014.07.15.(제2014-16호)
**주  소** | 서울특별시 금천구 가산디지털1로 119 SK트윈타워 A동 305호
**전  화** | 1670-8316
**이메일** | info@bookk.co.kr

ISBN | 979-11-410-5633-9

www.bookk.co.kr